Cântico

Clásico

Cecília Meireles

Apresentação
Suzana Vargas

Coordenação Editorial
André Seffrin

© **Condomínio dos Proprietários dos Direitos Intelectuais de Cecília Meireles**
Direitos cedidos por Solombra – Agência
Literária (solombra@solombra.org)
4ª Edição, Global Editora, São Paulo 2015
2ª Reimpressão, 2022

Jefferson L. Alves – diretor editorial
Gustavo Henrique Tuna – editor-assistente
André Seffrin – coordenação editorial, estabelecimento de texto, cronologia e bibliografia
Flávio Samuel – gerente de produção
Flavia Baggio – assistente editorial
Deborah Stafussi – revisão
Eduardo Okuno – projeto gráfico e capa

A Global Editora agradece à Solombra – Agência Literária pela gentil cessão dos direitos de imagem de Cecília Meireles.

CIP-BRASIL. CATALOGAÇÃO NA FONTE
SINDICATO NACIONAL DOS EDITORES DE LIVROS, RJ

M453

    Meireles, Cecília, 1901-1964
      Cânticos / Cecília Meireles ; coordenação André Seffrin ; apresentação Suzana Vargas. – [4. ed]. – São Paulo : Global, 2015.

    ISBN 978-85-260-2193-8

    1. Poesia brasileira. I. Título.

15-20423   CDD: 869.91
                                          CDU: 821.134.3(81)-1

Obra atualizada conforme o
NOVO ACORDO ORTOGRÁFICO DA LÍNGUA PORTUGUESA

Global Editora e Distribuidora Ltda.
Rua Pirapitingui, 111 — Liberdade
CEP 01508-020 — São Paulo — SP
Tel.: (11) 3277-7999
e-mail: global@globaleditora.com.br

globaleditora.com.br   @globaleditora
/globaleditora   @globaleditora
/globaleditora   /globaleditora
blog.grupoeditorialglobal.com.br

Direitos reservados.
Colabore com a produção científica e cultural.
Proibida a reprodução total ou parcial desta
obra sem a autorização do editor.

Nº de Catálogo: **3780**

Sumário

Cânticos: a poesia essencial de Cecília Meireles –
Suzana Vargas 9
[Dize:] 17
I 19
II 21
III 23
IV 25
V 27
VI 29
VII 31
VIII 33
IX 35
X 37
XI 39
XII 41
XIII 43
XIV 45
XV 47
XVI 49
XVII 51
XVIII 53
XIX 55
XX 57
XXI 59
XXII 61
XXIII 63
XXIV 65
XXV 67
XXVI 69

Cronologia 71
Bibliografia básica sobre Cecília Meireles 77

Cânticos:
a poesia essencial de
Cecília Meireles

Segundo familiares de Cecília, o manuscrito dos *Cânticos* data de 1927, quando a autora – apesar de já ter publicado três livros: *Espectros* (1919), *Nunca mais... e Poema dos poemas* (1923) e *Baladas para El-Rei* (1925) – ainda era pouco conhecida. Sua obra tem reconhecimento nacional somente a partir da premiação da Academia Brasileira de Letras (1938) e da publicação de *Viagem* (1939), inaugurando uma linhagem feminina nas honrarias concedidas pela Casa de Machado de Assis.

Neste e nos livros que o sucederam, como *Vaga música* (1942), *Mar absoluto e outros poemas* (1945) ou no épico *Romanceiro da Inconfidência* (1953), para citar apenas alguns de sua vasta produção poética, ela apresenta, segundo um de seus mais famosos antologistas, Paulo Mendes Campos, "apenas uma monotonia: a inacreditável qualidade de seus versos". Uma qualidade, diga-se de passagem, ainda não suficientemente reconhecida nem estudada no Brasil contemporâneo.

Difícil prefaciar essa autora monumental de poucos, porém grandes, críticos e muitos leitores, mas ainda não em número suficiente. Falar apenas de um livro, ainda que de um livro singular dentro de sua obra, sem relacioná-lo a outros da imensa produção de Cecília, pareceu-me tarefa difícil num primeiro momento. Depois, conforme adentrei nestas poucas páginas, uma estranha serenidade me tomou, pois pude constatar a extrema coerência de sua poética. Nela encontramos como traços definidores a tradição sem maniqueísmos e a universalidade dos temas em que o tecido filosófico transparece sem que a poesia perca em espaço. O que foge um pouco à proposta dos modernistas, um dos grupos a que Cecília costuma estar relacionada, que tendiam à ruptura com o passado literário dando ao seu movimento um caráter mais nacionalizante.

Ora, em *Cânticos*, essa nota universalizante, tendendo bem mais à forte espiritualidade, aparece de forma notável. Não à toa o poema-epígrafe, "Oferenda", fala em liberdade. Essa, talvez, a palavra mais constante para nos referirmos a este livro de poemas escritos como preceitos, admoestações, aconselhamentos que não incorrem em dogmatismos. Partem, talvez, da herança provável de suas leituras e estudos de poesia oriental para traduzir Rabindranath Tagore e outros autores assemelhados que estudou com afinco a partir ou por conta de sua viagem à Índia em 1953. A influência do Oriente, aliás, é a pedra fundamental dos *Cânticos*.

O fato é que seus poemas anteriores e posteriores ao manuscrito de 1927 de *Cânticos* atestam uma Cecília mais preocupada em construir uma obra cuja pluralidade de temas nos fala de seu interesse pelo humano aliado a uma procura de compreensão pela mecânica do universo, valendo-se para isso de todos os recursos tradicionais ou novos. Repleta de emoção, porém nunca traduzida em banalidades sentimentais, no dizer de Manuel Bandeira, que a adjetivou em versos como "libérrima e exata".[1]

De fato, ao falarmos da poeta, podemos dizer que viveu sua poesia em plena liberdade, buscando uma perfeição que não se circunscreve a nenhum molde, a nenhuma escola (mesmo à simbolista, como alguns costumam associá-la, de onde saiu, porém onde nunca se encaixou plenamente). Não à toa declara: "Também não me preocupam as escolas literárias senão de um ponto de vista histórico. Não sei se me faço entender. Acho que todos aprendemos com todos. Mas eu não gostaria de fazer discípulos, de ser chefe... etc. Não creio tanto em mim".[2]

Pois bem, é possível que em *Cânticos* nossa autora tenha alcançado a total liberdade que almejava. Em todos os poemas, encontramos como *leitmotiv* ao mesmo tempo a reflexão sobre a vida, a condição do poeta e a nossa condição de seres autônomos, porém condenados a uma existência subordinada à passagem do tempo, à sua mobilidade. E a existirmos como pequenos deuses:

> Nasce bem alto,
> Que as coisas todas serão tuas.
> Que alcançarás todos os horizontes.
> Que o teu olhar, estando em toda parte
> Te ponha em tudo,
> Como Deus.[3]

---

[1] BANDEIRA, Manuel. Improviso. In: _____. *Belo belo*. São Paulo: Global, 2014, p. 33.
[2] MEIRELES, Cecília. *Poesia completa*. Rio de Janeiro: Nova Aguilar, 1994, p. 87.
[3] Idem. I. In: _____. *Cânticos*. São Paulo: Global, 2015, p. 19.

E o livro todo é um cântico à nossa condição humana, ao tempo ilimitado do homem, à sua eternidade e singeleza. Digamos que a autora pratica uma espécie de religiosidade sem, no entanto, eleger uma religião e alcança aqui graus mais altos de misticismo e espiritualidade.

Composto por 27 poemas, com os versos mais livres que Cecília já nos deu, os *Cânticos* são, na verdade, um longo poema em que ela condensa sua filosofia de vida, sua visão da existência, exercendo uma espécie de poética do silêncio, ainda que uma vaga música de cadência quase única chegue até nós.

A variedade de metros com que costuma trabalhar reveste-se de uma espécie de monotonia intencional. Já não indaga, não problematiza, fala com serenidade com a segunda pessoa sobre convicções existenciais ditadas por uma voz maior. Assim, questões metafísicas, metalinguísticas, taoístas, a condição humana e suas aspirações de poder apenas têm lugar para serem negadas:

> Não queiras ser.
> Não ambiciones.
> Não marques limites ao teu caminho.
> A Eternidade é muito longa.
> E dentro dela tu te moves, eterno.[4]

Poesia de recorte profundamente existencial, não é de admirar que *Cânticos*, publicado apenas em 1981, tivesse permanecido oculto numa época em que o país vivia tempos exaltados, com muita movimentação estética, discussões, grupos literários,

---
4 Idem. XV. Ibidem, p. 47.

interesses de toda ordem e outros dogmas que invadiam a sociedade vigente. Quem poderia perceber essa poesia de cunho místico e consensual?

> Não digas que és dono.
> Sempre que disseres
> Roubas-te a ti mesmo.[5]

Neste livro, mais especialmente, Cecília busca uma compreensão maior de outros temas pouco ou nada "cantados" à época de sua escritura, e talvez por isso e pela demora de sua publicação não foram devidamente valorizados. A voz que preenche esse livro é segura de si, com a consciência plena de que viver – e viver a poesia – é também desprender-se das amarras existenciais e ideológicas que absurdamente nos impedem de caminhar pelo mundo.

Segura, de fala límpida e musical, essa formidável poeta nos legou estas criações líricas para um tempo tão conturbado, tão pouco reflexivo e tão veloz. Essa nova edição tem, portanto, a missão de recordar-nos que a vida e a poesia são processos, dirigem-se a todos e a cada um em particular e essa particularidade é a nota fundamental desses *Cânticos*, obra na qual o leitor vai encontrar mais do que o necessário, o imprescindível para conhecer Cecília Meireles em sua integralidade.

SUZANA VARGAS

---

5 Idem. XX. Ibidem, p. 57.

Cântico Nome

Offerenda

Teu nome é
liberdade.

Oferenda

*Teu nome é
liberdade.*

Dize:
O vento do meu espirito
soprou sobre a vida.
E tudo que era ephemero
se desfez.
E ficaste só tu, que és eterno...

Dize:
O vento do meu espírito
soprou sobre a vida.
E tudo que era efêmero
se desfez.
E ficaste só tu, que és eterno...

Cântico

I

Não queiras ter Pátria.
Não dividas a Terra.
Não dividas o Céu.
Não arranques pedaços ao mar.
Não queiras ter.
Nasce bem alto,
Que as coisas todas serão tuas.
Que alcançarás todos os horizontes.
Que o teu olhar, estando em toda parte
Estarás em tudo,
Como Deus.

Cântico

I

Não queiras ter Pátria.
Não dividas a Terra.
Não dividas o Céu.
Não arranques pedaços ao mar.
Não queiras ter.
Nasce bem alto,
Que as coisas todas serão tuas.
Que alcançarás todos os horizontes.
Que o teu olhar, estando em toda parte
Te ponha em tudo,*
Como Deus.

---

* Verso-base: Estarás em tudo,

II

Não sejas o de hoje.
Não suspires por hontens...
Não queiras ser o de amanhã.
Faze-te sem limites no tempo.
Vê a tua vida em todos as origens.
Põe todas as existências.
Em todas as mortes.
E sabe que serás assim para sempre.
Não queiras marcar a tua passagem.
Ella prosegue.
É a passagem que se continúa.
É a tua eternidade...
É a eternidade.
És tu.

II

Não sejas o de hoje.
Não suspires por ontens...
Não queiras ser o de amanhã.
Faze-te sem limites no tempo.
Vê a tua vida em todas as origens.
Em todas as existências.
Em todas as mortes.
E sabe que serás assim para sempre.
Não queiras marcar a tua passagem.
Ela prossegue:
É a passagem que se continua.
É a tua eternidade...
É a eternidade.
És tu.

III

Não digas onde acaba o dia.
Onde começa a noite.
Não fales palavras vãs.
As palavras do mundo.
Não digas onde começa a Terra,
Onde termina o céu.
Não digas até onde és tu.
Não digas desde onde é Deus.
Não fales palavras vãs.
Despoja-te da vaidade triste de falar.
Pensa, completamente silencioso.
Até a glória de ficar silencioso,
Sem pensar.

III

Não digas onde acaba o dia.
Onde começa a noite.
Não fales palavras vãs.
As palavras do mundo.
Não digas onde começa a Terra,
Onde termina o céu.
Não digas até onde és tu.
Não digas desde onde é Deus.
Não fales palavras vãs.
Desfaze-te da vaidade triste de falar.
Pensa, completamente silencioso.
Até a glória de ficar silencioso,
Sem pensar.

IV

Adormece o teu corpo com a musica da vida.
Encanta-te.
Esquece-te.
Tem por volupia a dispersão.
Não queiras ser Tu.
Quere ser a alma infinita de tudo.
Troca o teu curto sonho humano
Pelo sonho immortal.
O unico.
Vence a miseria de ter medo.
Troca-te pelo Desconhecido.
Não vês, então, que elle é maior?
Não vês que elle não tem fim?
Não vês que elle és tu mesmo?
Tu que te esqueceste de ti?
 andas esquecido de

IV

Adormece o teu corpo com a música da vida.
Encanta-te.
Esquece-te.
Tem por volúpia a dispersão.
Não queiras ser tu.
Quere ser a alma infinita de tudo.
Troca o teu curto sonho humano
Pelo sonho imortal.
O único.
Vence a miséria de ter medo.
Troca-te pelo Desconhecido.
Não vês, então, que ele é maior?
Não vês que ele não tem fim?
Não vês que ele és tu mesmo?
Tu que andas esquecido de ti?*

---

*Verso-base: Tu que te esqueceste de ti?

V

Esse teu corpo é um fardo.
É uma grande montanha abafando-te.
Não te deixando sentir o vento livre
Do Infinito.
Quebra o teu corpo em cavernas
Para dentro de ti rugir
A força livre do ar.
Destrói mais essa prisão de pedra.
Faze-te recesso.
Ambito.
Espaço.
Amplia-te.
Sê o grande sopro
Que circula...

V

Esse teu corpo é um fardo.
É uma grande montanha abafando-te.
Não te deixando sentir o vento livre
Do Infinito.
Quebra o teu corpo em cavernas
Para dentro de ti rugir
A força livre do ar.
Destrói mais essa prisão de pedra.
Faze-te recepo.
Âmbito.
Espaço.
Amplia-te.
Sê o grande sopro
Que circula...

VI

Tu tens um medo:
Acabar.
Não vês que acabas todo dia.
Que morres no amor.
Na tristeza.
Na dúvida.
No desejo.
Que te renovas todo dia.
No amor.
Na tristeza.
Na dúvida.
No desejo.
Que és sempre outro.
Que és sempre o mesmo.
Que morrerás por edades immensas.
Até não teres medo de morrer.
E então serás eterno.

VI

Tu tens um medo:
Acabar.
Não vês que acabas todo o dia.
Que morres no amor.
Na tristeza.
Na dúvida.
No desejo.
Que te renovas todo o dia.
No amor.
Na tristeza.
Na dúvida.
No desejo.
Que és sempre outro.
Que és sempre o mesmo.
Que morrerás por idades imensas.
Até não teres medo de morrer.

E então serás eterno.

VII

Não ames como os homens amam.
Não ames com amor.
Ama sem amor.
Ama sem querer.
Ama sem sentir.
Ama como se fosses outro.
Como se fosses amar.
Sem esperar.
Por não esperar.
Tão separado do que ame, em ti,
Que não se inquiete
Se o amor leva á felicidade,
Se leva á morte,
Se leva a algum destino.
Se te leva.
E se vae, elle mesmo...

VII

Não ames como os homens amam.
Não ames com amor.
Ama sem amor.
Ama sem querer.
Ama sem sentir.
Ama como se fosses outro.
Como se fosses amar.
Sem esperar.
Por não esperar.
Tão separado do que ama, em ti,
Que não te inquiete
Se o amor leva à felicidade,
Se leva à morte,
Se leva a algum destino.
Se te leva.
E se vai, ele mesmo...

VIII

Não digas: "o mundo é bello."
Quando foi que viste o mundo?
Não digas: "o amor é triste."
Que é que tu conheces do amor?
Não digas: "a vida é rapida"
Como foi que mediste a vida?
Não digas: "Eu soffro."
Que é que dentro de ti és tu?
Que foi que te ensinaram
Que era soffrer?

VIII

Não digas: "o mundo é belo".
Quando foi que viste o mundo?
Não digas: "o amor é triste".
Que é que tu conheces do amor?
Não digas: "a vida é rápida".
Como foi que mediste a vida?
Não digas: "eu sofro".
Que é que dentro de ti és tu?
Que foi que te ensinaram
Que era *sofrer*?

IX

Os teus ouvidos estão enganados.
E os teus olhos.
E as tuas mãos.
E a tua boca anda mentindo
Enganado pelos teus sentidos.
Faze silencio no teu corpo.
E escuta-te ~~a verdade~~.
A verdade silenciosa dentro de ti.
A verdade sem palavras.
Que procuras inutilmente,
Há tanto tempo,
Pelo teu corpo, que enlouqueceu.

IX

Os teus ouvidos estão enganados.
E os teus olhos.
E as tuas mãos.
E a tua boca anda mentindo
Enganada pelos teus sentidos.
Faze silêncio no teu corpo.
E escuta-te.
Há uma verdade silenciosa dentro de ti.
A verdade sem palavras.
Que procuras inutilmente,
Há tanto tempo,
Pelo teu corpo, que enlouqueceu.

X

Este é o caminho de ~~todos~~ que virão.
Para te louvarem.
Para não te verem.
Para te cobrirem de maldição.
Os teus braços são muito curtos.
E é larguíssimo, este caminho.
Com elles não poderás impedir
~~Que passem, os que hão~~ de passar
Nem que fiques de pé,
Na mais alta montanha,
Com os teus braços em cruz.

X

Este é o caminho de todos que virão.
Para te louvarem.
Para não te verem.
Para te cobrirem de maldição.
Os teus braços são muito curtos.
E é larguíssimo este caminho.
Com eles não poderás impedir
Que passem, os que terão de passar,
Nem que fiques de pé,
Na mais alta montanha,
Com os teus braços em cruz.

XI

Vê formaram-se sobre todas as aguas
Todas as nuvens.
Os ventos virão de todos os nortes.
Os diluvios cahirão sobre os mundos.
Tu não morrerás.
Não ha nuvens que te escureçam
Não ha ventos que te desfaçam
Não ha aguas que te afoguem
Tu és a propria nuvem.
O proprio vento.
A propria chuva sem fim...

XI

Vê formaram-se sobre todas as águas
Todas as nuvens.
Os ventos virão de todos os nortes.
Os dilúvios cairão sobre os mundos.
Tu não morrerás.
Não há nuvens que te escureçam.
Não há ventos que te desfaçam.
Não há águas que te afoguem.
Tu és a própria nuvem.
O próprio vento.
A própria chuva sem fim...

XII

Não fales as palavras dos homens.
Palavras com vida humana.
Que nascem, que crescem, que morrem.
Faze a tua palavra perfeita.
Dize somente coisas eternas.
Vive em todos os tempos
Pela tua voz.
Sê o que o ouvido nunca esquece.
Repete-te para sempre
Em todos os corações.
Em todos os mundos.

XII

Não fales as palavras dos homens.
Palavras com vida humana.
Que nascem, que crescem, que morrem.
Faze a tua palavra perfeita.
Dize somente coisas eternas.
Vive em todos os tempos
Pela tua voz.
Sê o que o ouvido nunca esquece.
Repete-te para sempre.
Em todos os corações.
Em todos os mundos.

XIII

Renova-te.
Renasce em ti mesmo.
Multiplica os teus olhos, para verem mais.
Multiplica os teus braços para semeares tudo.
Destrói os olhos que tiverem visto.
Cria outros, para as visões novas.
Destrói os braços que tiverem semeado,
Para se esquecerem de colher.
Sê sempre o mesmo.
Sempre outro.
Mas sempre alto.
Sempre longe.
E dentro de tudo.

XIII

Renova-te.
Renasce em ti mesmo.
Multiplica os teus olhos, para verem mais.
Multiplica os teus braços para semeares tudo.
Destrói os olhos que tiverem visto.
Cria outros, para as visões novas.
Destrói os braços que tiverem semeado,
Para se esquecerem de colher.
Sê sempre o mesmo.
Sempre outro.
Mas sempre alto.
Sempre longe.
E dentro de tudo.

XIV

Elles te virão offerecer o ouro da Terra.
E tu dirás que não.
E a (belleza) —————— belleza?
E tu dirás que não.
O Amor.
E tu dirás que não, para sempre.
Elles te offerecerão o ouro d'além da Terra
E tu dirás sempre o mesmo.
Porque tens o segredo de tudo.
E sabes que o unico bem é teu.

XIV

Eles te virão oferecer o ouro da Terra.
E tu dirás que não.
A beleza.
E tu dirás que não.
O amor.
E tu dirás que não, para sempre.
Eles te oferecerão o ouro d'além da Terra.
E tu dirás sempre o mesmo.
Porque tens o segredo de tudo.
E sabes que o único bem é o teu.

XV

Não queiras ser.
Não ambiciones.
Não marques limites ao teu caminho.
A Eternidade é muito longa.
E dentro della tu te moves, eterno.
Sê o que vem e o que vae.
Sem forma.
Sem termo.
Como uma grande lei diffusa.
Filha de nenhum sol.

XV

Não queiras ser.
Não ambiciones.
Não marques limites ao teu caminho.
A Eternidade é muito longa.
E dentro dela tu te moves, eterno.
Sê o que vem e o que vai.
Sem forma.
Sem termo.
Como uma grande luz difusa.
Filha de nenhum sol.

XVI

Tu ouvirás esta linguagem,
Simples.
Serena.
Difícil.
Terás um encanto triste.
Como os que vão morrer,
Sabendo o dia...
Mas intimamente
Quererás esta morte,
Senti-nos-á mais que a vida.

XVI

Tu ouvirás esta linguagem,
Simples,
Serena,
Difícil.
Terás um encanto triste.
Como os que vão morrer,
Sabendo o dia...
Mas intimamente
Quererás esta morte,
Sentindo-a maior que a vida.

XVII

Perguntarão pela tua alma.
A alma que é ternura.
Bondade.
Tristeza.
Amor.
Mas tu mostrarás a curva do teu vôo
Livre, por entre os mundos...
E elles comprehenderão que a alma pesa.
Que é um segundo corpo.
E mais amargo,
Porque não se pode mostrar,
Porque ninguem pode ver...

XVII

Perguntarão pela tua alma.
A alma que é ternura,
Bondade,
Tristeza,
Amor.
Mas tu mostrarás a curva do teu voo
Livre, por entre os mundos...
E eles compreenderão que a alma pesa.
Que é um segundo corpo,
E mais amargo,
Porque não se pode mostrar,
Porque ninguém pode ver...

XVIII

Quando os homens na Terra soffrerem
Soffrimento do corpo,
Soffrimento da alma,
Tu não soffrerás.

Quando os olhos chorarem
E as mãos se quebrarem de angustia
E a voz se acabar no rogo e na ameaça,
Quando os homens viverem,
Tu não viverás.

Quando os homens morrerem na vida
Quando os homens nascerem na morte,
Nem na vida nem na morte
Tu não morrerás.

XVIII

Quando os homens na terra sofrerem
Sofrimento do corpo,
Sofrimento da alma,
Tu não sofrerás.
Quando os olhos chorarem
E as mãos se quebrarem de angústia
E a voz se acabar no rogo e na ameaça,
Quando os homens viverem,
Tu não viverás.
Quando os homens morrerem na vida,
Quando os homens nascerem na morte,
Na vida e na morte nunca mais*
Nunca mais tu não morrerás.**

---

*Verso-base: Nem na vida nem na morte
**Verso-base: Tu não morrerás.

XIX

Não tem mais lar o que mora em tudo.
Não ha mais dadivas
Para o que não tem mãos.
Não ha mundos nem caminhos
Para o que é mais que os caminhos
E os mundos.
Não ha mais nada além de Ti.
Porque te despertaste...
Circulaste em todas as vidas
Pairas sobre todas as coisas
E todos te sentem
Sentem-te como a si mesmos
E não sabem falar de Ti.

XIX

Não tem mais lar o que mora em tudo.
Não há mais dádivas
Para o que não tem mãos.
Não há mundos nem caminhos
Para o que é maior que os caminhos
E os mundos.
Não há mais nada além de ti.
Porque te dispersaste...
Circulas em todas as vidas
Pairas sobre todas as coisas
E todos te sentem
Sentem-te como a si mesmos
E não sabem falar de ti.

XX

Não digas que és dono.
~~Sempre que ousares~~ ~~teu~~
Rouba-te a ti mesmo.
Tu, que és senhor de tudo...

Deixa os escravos rugirem,
Querendo.
Inutiliza o gesto possuidor das mãos.
Sê a árvore que floresce
~~Que~~ fructifica
E se dispersa no chão.
Deixa os famintos despojarem-te.
Nos teus ramos serenos
Ha florações eternas
E todas as boccas se fartarão.

XX

Não digas que és dono.
Sempre que disseres
Roubas-te a ti mesmo.
Tu, que és senhor de tudo...
Deixa os escravos rugirem,
Querendo.
Inutiliza o gesto possuidor das mãos.
Sê a árvore que floresce
Que frutifica
E se dispersa no chão.
Deixa os famintos despojarem-te.
Nos teus ramos serenos
Há florações eternas
E todas as bocas se fartarão.

XXI

O teu começo vem de muito longe.
O teu fim termina no teu começo.
Contempla-te em redor.
Compara.
Tudo é o mesmo.
Tudo é sem mudança.
Só as côres e as linhas mudaram.
* Dentro das côres a luz é a mesma. *
** Dentro das linhas o rythmo é egual.
Os outros vêem com os olhos ensombrados.
~~Os olhos~~ Que o mundo perturbam.
Com as novas formas.
Com as novas tintas.
Tu verás com os teus olhos.
Em sabedoria.
E verás muito além.

* Que importa as côres, para o Senhor da Luz?
** Que importa as linhas, para o Senhor do Rythmo?

XXI

O teu começo vem de muito longe.
O teu fim termina no teu começo.
Contempla-te em redor.
Compara.
Tudo é o mesmo.
Tudo é sem mudança.
Só as cores e as linhas mudaram.
Que importa as cores, para o Senhor da Luz?
Dentro das cores a luz é a mesma.
Que importa as linhas, para o Senhor do Ritmo?
Dentro das linhas o ritmo é igual.
Os outros veem com os olhos ensombrados.
Que o mundo perturbou,
Com as novas formas.
Com as novas tintas.
Tu verás com os teus olhos.
Em Sabedoria.
E verás muito além.

XXII

Não busques para lá
O que é, és tu.
Está em ti.
Em tudo.
A pata esteve na nuvem.
Na seiva.
No sangue.
Na terra.
E no rio que se abriu no mar.
E no mar que se coalhou em mundo.
Tu tiveste um destino assim.
Procura o mar.
Dá-te á sede das praias,
Dá-te á bocca azul do céo
Mas foge de novo á terra.
Mas não toques nas estrelas.
Volve de novo a ti.
Retoma-te.

XXII

Não busques para lá.
O que é, és tu.
Está em ti.
Em tudo.
A gota esteve na nuvem.
Na seiva.
No sangue.
Na terra.
E no rio que se abriu no mar.
E no mar que se coalhou em mundo.
Tu tiveste um destino assim.
Faze-te à imagem do mar.*
Dá-te à sede das praias
Dá-te à boca azul do céu
Mas foge de novo à terra.
Mas não toques nas estrelas.
Volve de novo a ti.
Retoma-te.

---

*Verso-base: Procura o mar.

XXIII

Não faças de Ti
Um sonho a realizar.
Vai.
Sem caminho marcado.
Tu és o de todos os caminhos.
Sê apenas uma presença.
Invisível presença silenciosa.
Todas as coisas esperam a luz,
Sem dizerem que a esperam
Sem saberem que existe.
Todas as coisas esperam por ti,
Sem te falarem.
Sem lhes falares.

XXIII

Não faças de ti
Um sonho a realizar.
Vai.
Sem caminho marcado.
Tu és o de todos os caminhos.
Sê apenas uma presença.
Invisível presença silenciosa.
Todas as coisas esperam a luz,
Sem dizerem que a esperam.
Sem saberem que existe.
Todas as coisas esperarão por ti,
Sem te falarem.
Sem lhes falares.

XXIV

Não digas: Este que me deu corpo é meu Pae.
Esta que me deu o corpo é minha Mãe.
Muito mais teu Pae e tua Mãe são os que te fizeram
Em espírito.
E esses foram sem numero.
Sem nome.
De todos os tempos.
Deixaram o rastro pelos caminhos de hoje.
Todos os que já viveram.
E andam fazendo-te dia a dia
Os de hoje, os de amanhã.
E os homens, e as coisas todas silenciosas.
A tua extensão prolonga-se em todos os tempos.
O teu mundo não tem polos.
E tu és o proprio mundo.

XXIV

Não digas: Este que me deu corpo é meu Pai.
Esta que me deu corpo é minha Mãe.
Muito mais teu Pai e tua Mãe são os que te fizeram
Em espírito.
E esses foram sem número.
Sem nome.
De todos os tempos.
Deixaram o rastro pelos caminhos de hoje.
Todos os que já viveram.
E andam fazendo-te dia a dia
Os de hoje, os de amanhã.
E os homens, e as coisas todas silenciosas.
A tua extensão prolonga-se em todos os sentidos.
O teu mundo não tem polos.
E tu és o próprio mundo.

XXV

Sê o que renuncia
Altamente:
Sem tristeza da sua renuncia!
Sem orgulho da sua renuncia!
Abre a tua alma nas tuas mãos
E abre as tuas mãos sobre o infinito.
E não *deixes ficar* fique de ti
Nem esse ultimo gesto!

E abre as tuas mãos sobre o infinito.

| E abre as tuas mãos sobre o infinito |
~~sobre o infinito~~

XXV

Sê o que renuncia
Altamente:
Sem tristeza da tua renúncia!
Sem orgulho da tua renúncia!
Abre a tua alma nas tuas mãos
E abre as tuas mãos sobre o infinito.
E não deixes ficar de ti
Nem esse último gesto!

XXVI

O que tu viste amargo,
Doloroso,
Difficil,
O que tu viste breve,
O que tu viste inutil
Foi o que viram os teus olhos humanos,
Esquecidos...
Enganados...
No momento da tua resenha
Estende sobre a vida
Os teus olhos
E tu verás o que vês:
Mas tu verás melhor...

XXVI

O que tu viste amargo,
Doloroso,
Difícil,
O que tu viste breve,
O que tu viste inútil
Foi o que viram os teus olhos humanos,
Esquecidos...
Enganados...
No momento da tua renúncia
Estende sobre a vida
Os teus olhos
E tu verás o que vias:
Mas tu verás melhor...

Cronologia

1901

A 7 de novembro, nasce Cecília Benevides de Carvalho Meirelles, no Rio de Janeiro. Seus pais, Carlos Alberto de Carvalho Meirelles (falecido três meses antes do nascimento da filha) e Mathilde Benevides. Dos quatro filhos do casal, apenas Cecília sobrevive.

1904

Com a morte da mãe, passa a ser criada pela avó materna, Jacintha Garcia Benevides.

1910

Conclui com distinção o curso primário na Escola Estácio de Sá.

1912

Conclui com distinção o curso médio na Escola Estácio de Sá, premiada com medalha de ouro recebida no ano seguinte das mãos de Olavo Bilac, então inspetor escolar do Distrito Federal.

1917

Formada pela Escola Normal (Instituto de Educação), começa a exercer o magistério primário em escolas oficiais do Distrito. Estuda línguas e em seguida ingressa no Conservatório de Música.

1919

Publica o primeiro livro, *Espectros*.

1922

Casa-se com o artista plástico português Fernando Correia Dias.

1923

Publica *Nunca mais... e Poema dos poemas*. Nasce sua filha Maria Elvira.

1924

Publica o livro didático *Criança meu amor...* Nasce sua filha Maria Mathilde.

1925

Publica *Baladas para El-Rei*. Nasce sua filha Maria Fernanda.

1927

Aproxima-se do grupo modernista que se congrega em torno da revista *Festa*.

1929

Publica a tese *O espírito vitorioso*. Começa a escrever crônicas para *O Jornal*, do Rio de Janeiro.

1930

Publica o ensaio *Saudação à menina de Portugal*. Participa ativamente do movimento de reformas do ensino e dirige, no *Diário de Notícias*, página diária dedicada a assuntos de educação (até 1933).

1934

Publica o livro *Leituras infantis*, resultado de uma pesquisa pedagógica. Cria uma biblioteca (pioneira no país) especializada em literatura infantil, no antigo Pavilhão Mourisco, na praia de Botafogo. Viaja a Portugal, onde faz conferências nas Universidades de Lisboa e Coimbra.

1935

Publica em Portugal os ensaios *Notícia da poesia brasileira* e *Batuque, samba e macumba*.
Morre Fernando Correia Dias.

1936

Nomeada professora de literatura luso-brasileira e mais tarde técnica e crítica literária da recém-criada Universidade do Distrito Federal, na qual permanece até 1938.

1937

Publica o livro infantojuvenil *A festa das letras*, em parceria com Josué de Castro.

1938

Publica o livro didático *Rute e Alberto resolveram ser turistas*. Conquista o prêmio Olavo Bilac de poesia da Academia Brasileira de Letras com o inédito *Viagem*.

1939

Em Lisboa, publica *Viagem*, quando adota o sobrenome literário Meireles, sem o *l* dobrado.

1940

Leciona Literatura e Cultura Brasileiras na Universidade do Texas, Estados Unidos. Profere no México conferências sobre literatura, folclore e educação.

Casa-se com o agrônomo Heitor Vinicius da Silveira Grillo.

1941

Começa a escrever crônicas para *A Manhã*, do Rio de Janeiro. Dirige a revista *Travel in Brazil*, do Departamento de Imprensa e Propaganda.

1942

Publica *Vaga música*.

1944

Publica a antologia *Poetas novos de Portugal*. Viaja para o Uruguai e para a Argentina. Começa a escrever crônicas para a *Folha Carioca* e o *Correio Paulistano*.

1945

Publica *Mar absoluto e outros poemas* e, em Boston, o livro didático *Rute e Alberto*.

1947

Publica em Montevidéu *Antologia poética (1923-1945)*.

1948

Publica em Portugal *Evocação lírica de Lisboa*. Passa a colaborar com a Comissão Nacional do Folclore.

1949

Publica *Retrato natural* e a biografia *Rui: pequena história de uma grande vida*. Começa a escrever crônicas para a *Folha da Manhã*, de São Paulo.

1951

Publica *Amor em Leonoreta*, em edição fora de comércio, e o livro de ensaios *Problemas da literatura infantil*.
Secretaria o Primeiro Congresso Nacional de Folclore.

1952

Publica *Doze noturnos da Holanda & O Aeronauta* e o ensaio "Artes populares" no volume em coautoria *As artes plásticas no Brasil*. Recebe o Grau de Oficial da Ordem do Mérito, no Chile.

1953

Publica *Romanceiro da Inconfidência* e, em Haia, *Poèmes*. Começa a escrever para o suplemento literário do *Diário de Notícias*, do Rio de Janeiro, e para *O Estado de S. Paulo*.

1953-1954

Viaja para a Europa, Açores, Goa e Índia, onde recebe o título de Doutora *Honoris Causa* da Universidade de Delhi.

1955

Publica *Pequeno oratório de Santa Clara, Pistoia, cemitério militar brasileiro* e *Espelho cego*, em edições fora de comércio, e, em Portugal, o ensaio *Panorama folclórico dos Açores: especialmente da Ilha de S. Miguel*.

1956

Publica *Canções* e *Giroflê, giroflá*.

1957

Publica *Romance de Santa Cecília* e *A rosa*, em edições fora de comércio, e o ensaio *A Bíblia na poesia brasileira*. Viaja para Porto Rico.

1958

Publica *Obra poética* (poesia reunida). Viaja para Israel, Grécia e Itália.

1959

Publica *Eternidade de Israel*.

1960

Publica *Metal rosicler*.

1961

Publica *Poemas escritos na Índia* e, em Nova Delhi, *Tagore and Brazil*.
Começa a escrever crônicas para o programa *Quadrante*, da Rádio Ministério da Educação e Cultura.

1962

Publica a antologia *Poesia de Israel*.

1963

Publica *Solombra* e *Antologia poética*. Começa a escrever crônicas para o programa *Vozes da cidade*, da Rádio Roquette-Pinto, e para a *Folha de S.Paulo*.

1964

Publica o livro infantojuvenil *Ou isto ou aquilo*, com ilustrações de Maria Bonomi, e o livro de crônicas *Escolha o seu sonho*.

Falece a 9 de novembro, no Rio de Janeiro.

1965

Conquista, postumamente, o Prêmio Machado de Assis da Academia Brasileira de Letras, pelo conjunto de sua obra.

Bibliografia básica sobre Cecília Meireles

ANDRADE, Mário de. Cecília e a poesia. In: _____. *O empalhador de passarinho*. São Paulo: Martins, [1946].

_____. Viagem. In: _____. *O empalhador de passarinho*. São Paulo: Martins, [1946].

AZEVEDO FILHO, Leodegário A. de (Org.). Cecília Meireles. In: _____. (Org.). *Poetas do modernismo*: antologia crítica. Brasília: Instituto Nacional do Livro, 1972. v. 4.

_____. *Poesia e estilo de Cecília Meireles*: a pastora de nuvens. Rio de Janeiro: José Olympio, 1970.

_____. *Três poetas de* Festa: Tasso, Murillo e Cecília. Rio de Janeiro: Padrão, 1980.

BANDEIRA, Manuel. *Apresentação da poesia brasileira*. São Paulo: Cosac Naify, 2009.

BERABA, Ana Luiza. *América aracnídea*: teias culturais interamericanas. Rio de Janeiro: Civilização Brasileira, 2008.

BLOCH, Pedro. Cecília Meireles. *Entrevista*: vida, pensamento e obra de grandes vultos da cultura brasileira. Rio de Janeiro: Bloch, 1989.

BONAPACE, Adolphina Portella. *O Romanceiro da Inconfidência*: meditação sobre o destino do homem. Rio de Janeiro: Livraria São José, 1974.

BOSI, Alfredo. Em torno da poesia de Cecília Meireles. In: _____. *Céu, inferno*: ensaios de crítica literária e ideológica. São Paulo: Duas Cidades/Editora 34, 2003.

BRITO, Mário da Silva. Cecília Meireles. In: _____. *Poesia do Modernismo*. Rio de Janeiro: Civilização Brasileira, 1968.

CACCESE, Neusa Pinsard. *Festa:* contribuição para o estudo do Modernismo. São Paulo: Instituto de Estudos Brasileiros, 1971.

CANDIDO, Antonio; CASTELLO, José Aderaldo (Orgs.). Cecília Meireles. *Presença da literatura brasileira 3*: Modernismo. 2. ed. São Paulo: Difusão Europeia do Livro, 1967.

CARPEAUX, Otto Maria. Poesia intemporal. In: _____. *Ensaios reunidos*: 1942-1978. Rio de Janeiro: UniverCidade/Topbooks, 1999.

CASTELLO, José Aderaldo. O Grupo *Festa*. In: _____. *A literatura brasileira*: origens e unidade. São Paulo: EDUSP, 1999. v. 2.

CASTRO, Marcos de. Bandeira, Drummond, Cecília, os contemporâneos. In: _____. *Caminho para a leitura*. Rio de Janeiro: Record, 2005.

CAVALIERI, Ruth Villela. *Cecília Meireles*: o ser e o tempo na imagem refletida. Rio de Janeiro: Achiamé, 1984.

COELHO, Nelly Novaes. Cecília Meireles. In: _____. *Dicionário crítico da literatura infantil e juvenil brasileira*. São Paulo: Nacional, 2006.

_____. Cecília Meireles. In: _____. *Dicionário crítico de escritoras brasileiras*: 1711-2001. São Paulo: Escrituras, 2002.

_____. O "eterno instante" na poesia de Cecília Meireles. In: _____. *Tempo, solidão e morte*. São Paulo: Conselho Estadual de Cultura/Comissão e Literatura, 1964.

_____. O eterno instante na poesia de Cecília Meireles. In: _____. *A literatura feminina no Brasil contemporâneo*. São Paulo: Siciliano, 1993.

CORREIA, Roberto Alvim. Cecília Meireles. In: _____. *Anteu e a crítica*: ensaios literários. Rio de Janeiro: José Olympio, 1948.

DAMASCENO, Darcy. *Cecília Meireles*: o mundo contemplado. Rio de Janeiro: Orfeu, 1967.

_____. *De Gregório a Cecília*. Organização de Antonio Carlos Secchin e Iracilda Damasceno. Rio de Janeiro: Galo Branco, 2007.

DANTAS, José Maria de Souza. *A consciência poética de uma viagem sem fim*: a poética de Cecília Meireles. Rio de Janeiro: Eu & Você, 1984.

FAUSTINO, Mário. O livro por dentro. In: _____. *De Anchieta aos concretos*. Organização de Maria Eugênia Boaventura. São Paulo: Companhia das Letras, 2003.

FONTELES, Graça Roriz. *Cecília Meireles*: lirismo e religiosidade. São Paulo: Scortecci, 2010.

GARCIA, Othon M. Exercício de numerologia poética: paridade numérica e geometria do sonho em um poema de Cecília Meireles. In: _____. *Esfinge clara e outros enigmas*: ensaios estilísticos. 2. ed. Rio de Janeiro: Topbooks, 1996.

GENS, Rosa (Org.). *Cecília Meireles*: o desenho da vida. Rio de Janeiro: Setor Cultural/Núcleo Interdisciplinar de Estudos da Mulher na Literatura/UFRJ, 2002.

GOLDSTEIN, Norma Seltzer. *Roteiro de leitura*: Romanceiro da Inconfidência de Cecília Meireles. São Paulo: Ática, 1988.

GOUVÊA, Leila V. B. *Cecília em Portugal*: ensaio biográfico sobre a presença de Cecília Meireles na terra de Camões, Antero e Pessoa. São Paulo: Iluminuras, 2001.

_____. (Org.). *Ensaios sobre Cecília Meireles*. São Paulo: Humanitas/FAPESP, 2007.

_____. *Pensamento e "lirismo puro" na poesia de Cecília Meireles*. São Paulo: EDUSP, 2008.

GOUVEIA, Margarida Maia. *Cecília Meireles*: uma poética do "eterno instante". Lisboa: Imprensa Nacional/Casa da Moeda, 2002.

_____. *Vitorino Nemésio e Cecília Meireles*: a ilha ancestral. Porto: Fundação Engenheiro António de Almeida; Ponta Delgada: Casa dos Açores do Norte, 2001.

HANSEN, João Adolfo. Solombra *ou A sombra que cai sobre o eu*. São Paulo: Hedra, 2005.

LAMEGO, Valéria. *A farpa na lira*: Cecília Meireles na Revolução de 30. Rio de Janeiro: Record, 1996.

LINHARES, Temístocles. Revisão de Cecília Meireles. In: _____. *Diálogos sobre a poesia brasileira*. São Paulo: Melhoramentos, 1976.

LÔBO, Yolanda. *Cecília Meireles*. Recife: Massangana/Fundação Joaquim Nabuco, 2010.

MALEVAL, Maria do Amparo Tavares. Cecília Meireles. In: _____. *Poesia medieval no Brasil*. Rio de Janeiro: Ágora da Ilha, 2002.

MANNA, Lúcia Helena Sgaraglia. *Pelas trilhas do* Romanceiro da Inconfidência. Niterói: EdUFF, 1985.

MARTINS, Wilson. Lutas literárias (?). In: _____. *O ano literário*: 2002-2003. Rio de Janeiro: Topbooks, 2007.

MELLO, Ana Maria Lisboa de (Org.). *A poesia metafísica no Brasil*: percursos e modulações. Porto Alegre: Libretos, 2009.

_____. (Org.). *Cecília Meireles & Murilo Mendes (1901-2001)*. Porto Alegre: Uniprom, 2002.

_____; UTÉZA, Francis. *Oriente e ocidente na poesia de Cecília Meireles*. Porto Alegre: Libretos, 2006.

MILLIET, Sérgio. *Panorama da moderna poesia brasileira*. Rio de Janeiro: Ministério da Educação e Saúde/Serviço de Documentação, 1952.

MOISÉS, Massaud. Cecília Meireles. In: _____. *História da literatura brasileira*: Modernismo. São Paulo: Cultrix, 1989.

MONTEIRO, Adolfo Casais. Cecília Meireles. In: _____. *Figuras e problemas da literatura brasileira contemporânea*. São Paulo: Instituto de Estudos Brasileiros, 1972.

MORAES, Vinicius de. Suave amiga. In: _____. *Para uma menina com uma flor*. Rio de Janeiro: Editora do Autor, 1966.

MOREIRA, Maria Edinara Leão. *Estética e transcendência em* O estudante empírico, *de Cecília Meireles*. Passo Fundo: Editora da Universidade de Passo Fundo, 2007.

MURICY, Andrade. Cecília Meireles. In: _____. *A nova literatura brasileira*: crítica e antologia. Porto Alegre: Globo, 1936.

_____. Cecília Meireles. In: _____. *Panorama do movimento simbolista brasileiro*. 2. ed. Brasília: Conselho Federal de Cultura/Instituto Nacional do Livro, 1973. v. 2.

NEJAR, Carlos. Cecília Meireles: da fidência à Inconfidência Mineira, do *Metal rosicler* à *Solombra*. In: _____. *História da literatura brasileira*: da carta de Caminha aos contemporâneos. São Paulo: Leya, 2011.

NEMÉSIO, Vitorino. A poesia de Cecília Meireles. In: _____. *Conhecimento de poesia*. Salvador: Progresso, 1958.

NEVES, Margarida de Souza; LÔBO, Yolanda Lima; MIGNOT, Ana Chrystina Venancio (Orgs.). *Cecília Meireles*: a poética da educação. Rio de Janeiro: Pontifícia Universidade Católica; São Paulo: Loyola, 2001.

OLIVEIRA, Ana Maria Domingues de. *Estudo crítico da bibliografia sobre Cecília Meireles*. São Paulo: Humanitas/USP, 2001.

PAES, José Paulo. Poesia nas alturas. In: _____. *Os perigos da poesia e outros ensaios*. Rio de Janeiro: Topbooks, 1997.

PARAENSE, Sílvia. *Cecília Meireles:* mito e poesia. Santa Maria: UFSM, 1999.

PEREZ, Renard. Cecília Meireles. In: _____. *Escritores brasileiros contemporâneos – 2ª série*: 22 biografias, seguidas de antologia. 2. ed. revista e atualizada. Rio de Janeiro: Civilização Brasileira, 1971.

PICCHIO, Luciana Stegagno. A poesia atemporal de Cecília Meireles, "pastora das nuvens". In: _____. *História da literatura brasileira*. Rio de Janeiro: Nova Aguilar, 1997.

PÓLVORA, Hélio. Caminhos da poesia: Cecília. In: _____. *Graciliano, Machado, Drummond & outros*. Rio de Janeiro: Francisco Alves, 1975.

RAMOS, Péricles Eugênio da Silva. *Solombra*. In: _____. *Do Barroco ao Modernismo*: estudos de poesia brasileira. 2. ed. revista e aumentada. Rio de Janeiro: Livros Técnicos e Científicos, 1979.

RICARDO, Cassiano. *A Academia e a poesia moderna*. São Paulo: Revista dos Tribunais, 1939.

RÓNAI, Paulo. O conceito de beleza em *Mar absoluto*. In: _____. *Encontros com o Brasil*. 2. ed. Rio de Janeiro: Batel, 2009.

_____. Uma impressão sobre a poesia de Cecília Meireles. In: _____. *Encontros com o Brasil*. 2. ed. Rio de Janeiro: Batel, 2009.

SADLIER, Darlene J. *Cecília Meireles & João Alphonsus*. Brasília: André Quicé, 1984.

_____. *Imagery and Theme in the Poetry of Cecília Meireles*: a study of *Mar absoluto*. Madrid: José Porrúa Turanzas, 1983.

SECCHIN, Antonio Carlos. Cecília: a incessante canção. In: _____. *Escritos sobre poesia & alguma ficção*. Rio de Janeiro: EdUERJ, 2003.

_____. Cecília Meireles e os *Poemas escritos na Índia*. In: _____. *Memórias de um leitor de poesia & outros ensaios*. Rio de Janeiro: Topbooks/Academia Brasileira de Letras, 2010.

_____. O enigma Cecília Meireles. In: _____. *Memórias de um leitor de poesia & outros ensaios*. Rio de Janeiro: Topbooks/Academia Brasileira de Letras, 2010.

SIMÕES, João Gaspar. Cecília Meireles: *Metal rosicler*. In: _____. *Crítica II*: poetas contemporâneos (1946-1961). Lisboa: Delfos, s.d.

VERISSIMO, Erico. Entre Deus e os oprimidos. In: _____. *Breve história da literatura brasileira*. São Paulo: Globo, 1995.

VILLAÇA, Antonio Carlos. Cecília Meireles: a eternidade entre os dedos. In: _____. *Tema e voltas*. Rio de Janeiro: Hachette, 1975.

YUNES, Eliana; BINGEMER, Maria Clara L. (Orgs.). *Murilo, Cecília e Drummond*: 100 anos com Deus na poesia brasileira. Rio de Janeiro: Pontifícia Universidade Católica; São Paulo: Loyola, 2004.

ZAGURY, Eliane. *Cecília Meireles*. Petrópolis: Vozes, 1973.

Leia também de Cecília Meireles

Romanceiro da Inconfidência

A literatura brasileira está repleta de obras em prosa romanceando acontecimentos históricos. Mas uma das mais brilhantes delas é, certamente, o *Romanceiro da Inconfidência*, iluminado pela poesia altíssima de Cecília Meireles. O poema (na verdade formado por vários poemas que também podem ser lidos isoladamente) recria os dias repletos de angústias e esperanças do final da década de 1780, em que um grupo de intelectuais sonhou se libertar do domínio colonial português, e o desastre que se abateu sobre as suas vidas e a de seus familiares.

Utilizando a técnica ibérica dos romances populares, a poeta recria com intensa beleza o cotidiano, os conflitos e os anseios daquele grupo de sonhadores. Diante dos olhos do leitor surgem as figuras de Tomás Antônio Gonzaga, Cláudio Manuel da Costa, e, se sobressaindo sobre todos, o perfil impressionista de Tiradentes, retratado como um Cristo revolucionário, tal a imagem que se modelou a partir do século XIX e se impôs até nossos dias.

Como observa Alberto da Costa e Silva no prefácio, "com a imaginação a adivinhar o que não se mostra claro ou não está nos documentos, Cecília Meireles recria poeticamente um pedaço de tempo e, ao lhe reescrever poeticamente a história, dá a uma conspiração revolucionária de poetas, num rincão montanhoso do Império português, a consistência do mito".

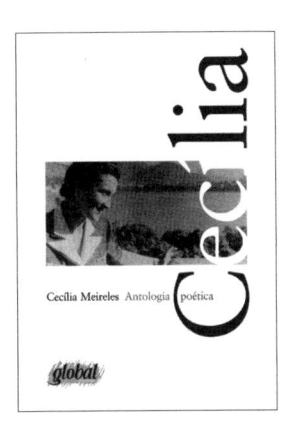

Antologia poética

Nesta *Antologia poética*, podemos apreciar passagens consagradas da encantadora rota lírica de Cecília Meireles. Escolhidos pela própria autora, os poemas aqui reunidos nos levam a vislumbrar diferentes fases de sua vasta obra. Pode-se dizer, sem sombra de dúvidas, que o livro é uma oportunidade ímpar para se ter uma límpida visão do primor de seus versos. Cecília, por meio de uma erudição invejável, cria composições com temas como amor e saudade, que se revestem de uma força tenazmente única.

Nesta seleção de sua obra poética, Cecília elenca versos de outros livros fundamentais, como *Viagem*, *Vaga música*, *Mar absoluto e outros poemas*, *Retrato natural*, *Amor em Leonoreta*, *Doze noturnos da Holanda*, *O Aeronauta*, *Pequeno oratório de Santa Clara*, *Canções*, *Metal rosicler* e *Poemas escritos na Índia*. Como não poderia deixar de ser, a antologia também traz excertos centrais de seu *Romanceiro da Inconfidência*, livro essencial da literatura brasileira.

De posse do roteiro seguro que é esta antologia de poemas de Cecília Meireles, o leitor apreciará as sensibilidades de uma das maiores timoneiras do verso em língua portuguesa.

Impresso por :

gráfica e editora

Tel.:11 2769-9056